W9-CPE-871

全彩图升级版

四五快读

第五册

杨其铎 著

湖南科学技术出版社

图书在版编目（CIP）数据

四五快读 第五册／杨其铎著.——修订本.——长沙：湖南
科学技术出版社，2010.10（2018.3重印）

ISBN 978-7-5357-6426-3

Ⅰ．①四… Ⅱ．①杨… Ⅲ．①识字课－学前教育－教学参考
资料 Ⅳ．①G613.2

中国版本图书馆CIP数据核字（2010）第179834号

四五快读 第五册 全彩图 升级版

著　　者：杨其铎

责任编辑：柏　立

出版发行：湖南科学技术出版社

社　　址：长沙市湘雅路276号

　　　　　http://www.hnstp.com

邮购联系：本社直销科　0731-84375808

印　　刷：湖南凌宇纸品有限公司

　　　　　（印装质量问题请直接与本厂联系）

厂　　址：长沙市长沙县黄花镇黄花工业园

邮　　编：410137

版　　次：2010年10月第1版

印　　次：2018年3月第20次印刷

开　　本：787mm×1092mm　1/16

印　　张：5.625

插　　页：10

书　　号：ISBN 978-7-5357-6426-3

定　　价：26.80元

中国学前教育研究会常务理事　王风野

阅读能力是人持续发展的重要工具性能力之一，而早期阅读是儿童成为成功阅读者的基础和终身学习者的开端。前苏联教育家苏霍姆林斯基指出："孩子的阅读开始越早，阅读时思维过程越复杂，阅读对智力发展就越有益。"我国的《幼儿教育指导纲要》也要求"利用图书、绘画和其他多种形式，引发幼儿对书籍、阅读和书写的兴趣，培养前阅读和前书写技能。"对儿童早期阅读的重要性，目前国内外教育界已形成共识。

儿童早期阅读并非始于识字，但识字是阅读的重要基础。如果在适当的年龄，用正确的方法让孩子提前识字，就能使孩子较早进入自主阅读，从而促进阅读能力和相关智力的较快发展。

《四五快读》是一套适合早期儿童识字阅读的读本。

本书作者杨其铎女士是一位作风严谨、勇于探索、成果丰硕的早期教育专家。她以成功培养自己的两个孩子（一为北大博士，一为清华少年大学生）为起点，进而开展对群体儿童早期教育的研究和实践。十几年来，培养了千余名早慧儿童，摸索总结出一整套独具特色的早期儿童智力能力培养的方案——"壹嘉伊方程"。《四五快读》（意为四五岁就可以识字，认识四五十个汉字就开始进入阅读）就是该方案中的识字读本。

目前，儿童早期识字的读本不少，各有千秋。本书的特色是：边学汉字，边根据已学汉字循序渐进地进入阅读符合幼儿认知水平、符合儿童生活情趣的词组、句子、短段、长段、短文，直至阅读由这些汉字编成的故事、童话等。

这样，单个枯燥的汉字不断被组合成鲜活的、生动有趣的词语、句子、故事。孩子很快就能够理解汉字所蕴含的意义，在脑海中形成与这些词语、句子、故事所表达的意思相符的生动画面，一步步品尝到识字乐趣，轻松愉快地识字，并很快获得自主阅读的能力。

《四五快读》采用的是形象、比喻、诱导、启发式的教学方法，用充满童趣的语言、生动形象的肢体动作和互动交流来教授汉字，能让儿童对识字产生好奇和兴趣。本书对每一个汉字的教授方法作了解说，方便家长、教师使用。孩子学完本套7本书，就能认识960个汉字，掌握4200个词语，能阅读600字的故事，并由此积累词汇和知识常识，产生自信心、成就感，进而习惯阅读，养成热爱阅读的好习惯，使其受益终生。

《四五快读》还将学识汉字、自主阅读的过程同步设计为开发多种智力能力的过程。每课后设置问答，既可加强对所学汉字、词语、句子、故事的理解，也启发孩子思维，提升注意力，训练记忆力，培养想象力、创造力。

《四五快读》在实验过程中十易其稿，经过十几年的教学实践，证实了它的可操作性和优越性。2004年第一版发行后，经过全国大量家长、早期教育机构的使用，证实了该书是一套符合早期儿童心理特点和教育规律的优秀识字读本。尤其是2009年第二版发行后，一直居少儿类图书销售前位，进一步证实了此书的效果。期望升级版（第三版）《四五快读》使更多的儿童获益。

❶ 全国最早进入自主阅读的一套教材

　　《壹嘉伊方程》系列教材中的"四五快读"识字阅读教材是经过十多年的教学实践、积累和修改，十易其稿而成的。它不同于普通的幼儿识字教材，是边学汉字边根据已学汉字进入阅读词组、句子、短段、长段、短文章直至故事、童话。"四五快读"的含意是"学习四、五十字就进入自主阅读"，它是全国最早进入自主阅读的一套教材。

❷ 全国最好的识字阅读教材，孩子们爱不释手的书

　　自2004年出版后，受到广大家长和孩子的喜爱和肯定。因为书中的每一个字，孩子都认识，每个词、每句话、每个故事，孩子们都懂，而且学会第六册后，孩子就可以读懂普通报纸的大部分内容，从而增强自信心和成就感，并从小打下喜爱阅读的好习惯，为一生的学习奠定坚实基础。不少家长盛赞此书为全国最好的识字阅读教材，孩子们爱不释手的书。

❸ 循序渐进学习汉字，轻松快乐进入阅读和学校学习

　　在孩子学会了最基本的16个字：人、口、大、中、小、哭、笑等之后，就开始学习词语"大人"、"大哭"、"大笑"等。

　　在学会32个字后，开始学习短句，例如："我有好爸爸、好妈妈。"、"天上有太阳、月亮、星星。"、"地上有土、石、山、水田等。因为加进了常用虚词"有"，便可以组成句子，也就开始了阅读。

　　在学会了88字（第一册）后，学习的句子更长。在第二册，就由阅读20~30个字的短段进入60~70个字的长段。第三册，就可以读200字左右的短文。第四、五、六册就读600字左右的故事了。"四五快读"的汉字与小学课本同步，坚持半年可学完本套书前七册，可以认识960个汉字，4200个词语（含130个成语、俗语）。孩子入学后，即可轻松进入学习状态。

❹ 详细全面的教学方法

本书提供每个字的具体教法，家长可以学会形象、比喻、诱导、启发的教学方法。

每课后的提问具有多种开发智力能力的作用，并引导孩子学会思考。增设了培养幼儿专注力的训练内容。

❺ 具有系统性，适合幼儿园、培训机构选作教材

升级版（第三版）亮点：

1．应读者要求，每课阅读故事中增加了许多彩色插图。

2．为了提高孩子的阅读能力，增加一个新品种，即由《四五快读》所识汉字编写的《四五快读故事集》，该书共有50篇故事，前8个故事没加新汉字，从第9个故事开始加新汉字，读完《四五快读故事集》又可学会273个新字。

3．为提高专注力训练教学中的"听两句话，找出相同的一个汉字"一项，提供了完整的例句。

写在前面的话

　　"四五快读"第五册共介绍89个汉字，358个词语，3篇短文，10篇故事。

　　本册书与第四册的教学方法相同，依然采用形象、比喻、诱导和启发的方法教授汉字，并更多地采用互动问答式的教学方法。继续进行拆分字的分析，以及比较形近字和同音字的不同。

　　本书未对词语做出解释，家长应针对孩子的具体认知和理解能力，选择适当的方法进行说明。为达到准确，请家长事先查阅字典或词典，以防止儿童"先入为主"的思维模式，曲解了汉字的意思。

　　本册书已基本进入故事的阅读。随着孩子能力的提高，家长问孩子问题的难度有所加大，尤其是引申思维深度和宽度的问题，可以提高孩子的思维能力、创造力，对于孩子形成主动学习，钻研问题和积极思考的习惯，有着很好的引导作用。

　　本册书同样根据学习的具体汉字加进了提高专注力的训练内容。

目 录

 宝宝学生字

食　无　名　加

共　事　帮　饿

肚　狮　觉　毛

求　等　香　肉

宝宝读词语

冷食　甜食　食指

中指　无名指　无风

无边　无能　无心

名字　名人　名山

加上　加班　一共

共同　共有　公共

做事　大事　小事

好事　事后　有事

帮我　帮你　帮他

帮手　帮工

宝宝读故事

大拇指生气了

一只手有五个手指：大拇指、食指、中指、无名指，还有小指。

左手和右手加起来，一共有十个手指。大家在一起很快乐，做什么事都是你帮我，我帮他，做得都很好。

有一天，大拇指生了气，它大声对食指、中指、无名指和小指说：

"你们不要再来找我，做事不要找我。玩，也不要来找我。"

大家看大拇指生了这么大的气，也

不敢找它。

到了吃饭时，它还在生气。

不好了，大拇指不和大家一起做事，就什么东西也拿不到手上。

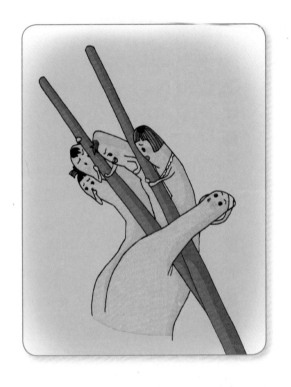

饭也吃不到口里。吃不到东西，大家只好饿肚子了。

汉字教学法

> 用形象、比喻、诱导、启发式教授汉字

食：可引用词语——零食，冷食，甜食，食物，食品，食堂，食油

无：可引用词语——无风，无力，无赖，无理，无边，无能，无知，无心，无论

名：可引用词语——名字，名片，名人，名山，名牌，名称

加：可引用词语——加班，加热，加法，加号，加油，加入，加重，加紧，加强

共：可引用词语——一共，总共，共有，共青团，共产党，共和国，共同，公共

事：可引用词语——故事，事情，大事，小事，好事，坏事，事先，事后，事物，

家事，事故

帮：可引用词语——帮助，帮忙，帮手，帮工

饿：可引用词语——饿了，饥饿，饿肚子

肚：可引用词语——肚子

狮：可引用词语——狮子，狮毛狗，狮子舞

觉：可引用词语——睡觉

毛：可引用词语——毛巾，毛笔，毛虫，毛豆，毛驴，毛毛，毛毛虫，毛毛雨，毛线，毛衣，毛皮，毛病

求：可引用词语——要求，请求，求人，求助，求学，求救，求情，求生，求和

等：可引用词语——等一等，等待，等到，等候，等号，等于，平等，高等，中等，等级

香：可引用词语——香蕉，香瓜，香甜，香肠，香花，香水，香气，香烟，香干，香油，香菇，香皂，香料

肉：可引用词语——猪肉，牛肉，羊肉，鱼肉

 ## 提高专注力汉字教学法

为了提高孩子的听觉集中和分辨能力，随着孩子的逐渐成长，能力的逐渐增强，家长在教授孩子认识汉字时，可以采用说两句不同的句子，其中包含有一个相同的汉字（其他字不能相同），让孩子集中注意听，并分辨出是哪个字。然后，再对孩子"用形象、比喻、诱导、启发式教授汉字"的方法讲授这个字。

食：❶ 狮子和老虎都食肉。
❷ 挨着无名指是食指。

名：❶ 爸爸把名片交给他。
❷ 哥哥的学校很有名。

共：❶ 我们班共有三十人。
❷ 公共场所不能抽烟。

帮：❶ 叔叔帮爷爷去买票。
❷ 白菜帮子不太好吃。

肚：❶ 奶奶经常吃猪肚子。
❷ 妈妈爱拍我的肚皮。

觉：❶ 我一觉醒来就饿了。

无：❶ 无就是没有的意思。
❷ 奶奶说她无能为力。

加：❶ 加法就是越来越多。
❷ 加拿大在美洲北部。

事：❶ 我会帮助妈妈做事。
❷ 老师给大家讲故事。

饿：❶ 狼没饭吃饿了三天。
❷ 有两亿人在饥饿中。

狮：❶ 元宵节去看舞狮子。
❷ 动物园里有个狮山。

毛：❶ 纯羊毛衣可暖和呢。

② 星期天大家睡懒觉。

　　② 我自己挂洗脸毛巾。

求：① 上课时要求不说话。

等：① 爸爸在楼下等我们。

　　② 老鼠求猫不捉它们。

　　② 老师说要学会等待。

香：① 花不但美丽还很香。

肉：① 能够少吃些肉最好。

　　② 菜洒些香油更好吃。

　　② 狐狸请仙鹤吃肉汤。

① 先念会29个词语。

② 和孩子讨论每个词语的意思，先鼓励孩子用自己的话讲解出来（或者用造句的形式也可以，只要证明孩子已经懂得意思即可），之后家长加以补充和纠正。这种做法可以训练孩子的理解力和语言表达能力。

③ 家长说词语，让孩子用汉字卡片摆出这个词语。

先念熟短文，再回答下面的问题

 爸爸、妈妈按课文内容问宝宝的问题

① 一只手有几个手指？

② 这几个手指都叫什么？

③ 这些手指是如何做事的？

④ 为什么有一天他们会饿肚子？

 拓展宝宝思维宽度和深度的问题

（要按照孩子的年龄和心理认知能力，酌情提问）

① 试着说出自己各个手指的名称。

② 看看自己的手指，哪个最长，哪个最短，哪个最粗，哪个最细？

③ 设想自己如果少了一个手指，在做事时还方便吗？

第四十二课

张	网	咬
力	啊	牙
嘴	漂	

肚子　饿了　肚子饿

狮子　狮子狗　睡觉

毛笔　毛虫　毛毛

毛毛虫　毛毛雨

求求你　要求　请求

求人　求学　求救

等一等　等等我

等到　高等　中等

好香　香甜　香花

香水　香气　吃肉

牛肉　羊肉　鱼肉

宝宝读故事

小老鼠救狮子

在大草原上，一头狮子正在睡觉。一只老鼠从这里走过，还在狮子头上的毛里坐了一会儿。

"是谁！"狮子醒了，生气地一把捉住了老鼠："原来是

你。也好，正好做我的午饭。"

老鼠哭着求狮子："放了我吧，我还有七个孩子在家等着我呢！你要是放了我，我会好好谢你，我是不会说假话的。"

狮子想了想，想到老鼠的七个孩子还在等妈妈，就把老鼠放掉了。

过了一天，狮子出来找吃的东西。

"好香呀！"狮子走过去，看见地上有一堆肉。正想去拿，一张大网一下子网住了它。动也不能动。狮子急得又喊又叫。

　　这时，正好鼠妈妈和她的孩子们从这儿走过。

　　"呀！狮子大哥，你怎么在这里面呀？只有我能救你了。来！孩子们，我们一起来咬开这

张网。"

咬啊，咬啊，老鼠妈妈和小老鼠们把大网咬开了。狮子从里面跳了出来。

"谢谢你，老鼠太太。谢谢你们，老鼠小朋友。"

汉字教学法

用形象、比喻、诱导、启发式教授汉字

张：可引用词语——张口，张大，一张，张望

网：可引用词语——大网，网子，渔网，张网，破网，网球，上网，网络

咬：可引用词语——咬人，不咬，咬牙，咬东西

力：可引用词语——用力，力气，力量，大力水手

啊：可引用词语——去啊，来啊，走啊，吃啊

牙：可引用词语——牙齿，牙膏，长牙，门牙，虫牙，掉牙，牙医，月牙，虎牙，尖牙

嘴：可引用词语——小嘴，嘴里，嘴巴，嘴唇，张嘴

漂：可引用词语——漂浮，漂流（一声），漂白（三声），漂亮（四声）

提高专注力汉字教学法

张：❶ 我们班的老师姓张。
❷ 小朋友要爱惜纸张。

网：❶ 我家使用无线网络。
❷ 爸爸打网球第一名。

咬：❶ 老鼠咬坏了大衣柜。　　力：❶ 大力水手力气真大。
　　❷ 奶奶咬不动硬东西。　　　　❷ 用力就能抬起箱子。

啊：❶ 猴子喊啊大象喊啊。　　牙：❶ 睡觉前一定要刷牙。
　　❷ 啊呀我的碗打破了。　　　　❷ 我爷爷的牙也老了。

嘴：❶ 河马的嘴巴太大了。　　漂：❶ 山羊的胡子真漂亮。
　　❷ 我们用嘴说话吃饭。　　　　❷ 孔雀打扮得漂漂亮亮。

词语教学法　参见第二十一课"词语教学法"。

故事教学法

先念熟故事，再回答下面的问题

爸爸、妈妈按课文内容问宝宝的问题

❶ 这个故事里一共有几个人物？
❷ 狮子为什么放了老鼠？
❸ 狮子遇到了什么困难？
❹ 老鼠是怎样帮助狮子的？

拓展宝宝思维宽度和深度的问题

（要按照孩子的年龄和心理认知能力，酌情提问）

❶ 帮助狮子把大网咬开的，一共有几只老鼠？
❷ 如果老鼠妈妈不帮助咬大网，可能会发生什么后果？
❸ 狮子一定是坏蛋吗？
❹ 帮助过我们的人如果发生了困难，我们应该怎么做才对？
❺ 没有帮助过我们的人发生了困难，我们应该怎么做才对？

第四十三课

宝宝学生字

胡　　虎　　贴

才　　数　　更

朵　　纸

 宝宝读词语

一张　张口　张大

大网　网子　渔网

上网　网球　咬人

不咬　咬牙　咬东西

用力　力气　大力水手

来啊　走啊　吃啊

长牙　门牙　虫牙

掉牙　月牙　尖牙

小嘴　嘴里　嘴巴

张嘴　漂着(一声)

漂白（三声）

漂亮（四声）

大灰狼拔牙

大灰狼的牙痛，它就去找大猩猩。大猩猩问它："你怎么啦？"

大灰狼说："我的牙痛得很，咬不动东西，天天都觉得肚子饿。很不好过。怎么办呢？"

大猩猩说："我来给你拔掉吧！"

大灰狼说："怎么拔呢？"

大猩猩想了想，说："是呀！用什么

东西拔呢？"

正在这时，小猴子来了，大猩猩就请小猴子帮着想。

小猴子想了想，说："有了。"就去拿了一块石头，叫大灰狼用力咬。

大灰狼不敢咬，说："你这哪里是给我拔牙，你是在害我呀！"

小猴子听了，回头就走。大猩猩也要走了。

大灰狼着急了，想快把痛的牙拔了去，好去找东西吃。

"好吧，好吧。我咬，我咬。是不是能拔掉呢？"

小猴子说："你要用最大的力气咬，不用力是拔不掉的。"

大灰狼就用了最大的力气，大口一咬。

"啊呀！啊呀！不得了啦，好痛呀！"大灰狼一边喊，一边叫，一边跳。原来，大灰狼一嘴的牙都咬掉了。

　　大灰狼再也吃不了肉了，再也没有谁怕它了。

 汉字教学法 ··

💡 用形象、比喻、诱导、启发式教授汉字

　　胡：可引用词语——胡子，胡须，胡说，胡说八道，胡来，胡闹，胡琴，胡同，胡萝卜

　　虎：可引用词语——老虎，虎口，虎牙

　　贴：可引用词语——贴着，贴上，贴近，贴边，贴身，贴心

　　才：可引用词语——刚才，人才，天才，才子，才气，才能，才华

　　数：可引用词语——数字，数目，数量，数学（四声）

　　　　　　　　　　　　数一数，数来宝，数一数二，数落（三声）

　　更：可引用词语——更好，更大，更小，更多，更少，更长，更冷，更黑，更新，更加（四声），更换，更正，变更（一声）

　　朵：可引用词语——花朵，云朵，朵朵，耳朵

　　纸：可引用词语——白纸，红纸，黄纸，纸张，纸盒，纸巾，报纸，信纸

提高专注力汉字教学法

家长说两句包含同一个汉字的不同句子让孩子听，并要求孩子说出这个汉字。例：

胡：❶ 小猫小狗都有胡子。　　　　虎：❶ 今年是中国的虎年。

　　❷ 小朋友在一起爱胡闹。　　　　　❷ 他虎头虎脑好可爱。

贴：❶ 小明有好多小贴士。　　　　才：❶ 我的爸爸才华横溢。

　　❷ 信封上忘记贴邮票。　　　　　❷ 只有努力才能成功。

数：❶ 哥哥算数学得最好。　　　　更：❶ 我们要更上一层楼。

　　❷ 妈妈教会了我数数。　　　　　❷ 有礼貌更让人喜欢。

朵：❶ 天上有好几朵白云。　　　　纸：❶ 小朋友要爱惜纸张。

　　❷ 妹妹笑得像一朵花。　　　　　❷ 书是用纸订起来的。

 参见第二十一课"词语教学法"。

先念熟故事，再回答下面的问题

 爸爸、妈妈按课文内容问宝宝的问题

❶ 大灰狼为什么要去找大猩猩？

❷ 小猴子想了一个什么办法给大灰狼拔牙？

❸ 为什么大家再也不怕大灰狼了？

 拓展宝宝思维宽度和深度的问题

（要按照孩子的年龄和心理认知能力，酌情提问）

❶ 很小的小宝宝为什么不能吃饭？

❷ 很老的爷爷或奶奶为什么不能吃很硬的东西？

❸ 小朋友为什么要天天刷牙？

宝宝学生字

圆　　圈　　亲

脸　　眼　　睛

接　　外

宝宝读词语

胡子　胡说　胡说八道

胡来　　胡同　　老虎

虎口　　虎牙　　贴着

贴上　　贴心　　人才

天才　　才子　　才气

才能　　数字　　数目

数学（四声）数一数

数来宝　　数一数二

数落（三声）　更好

更大　　更小　　更多

更少　　更长　　更冷

更黑　更新　更加(四声)

更正　变更(一声)　花朵

云朵　　朵朵　　耳朵

一张纸　白纸　红纸

黄纸　纸张　纸盒

山羊爷爷的胡子

山羊爷爷有一大把漂亮的胡子，它天天都对它的朋友们说："谁也没有我这么漂亮的胡子。狮子没有，老虎没有，老狼也没有。只有我山羊爷爷有。哈哈！你们是不是很想学我，也贴上一把胡子呢？"

狮子、老虎、老狼都在想："是啊，我们是没有山羊爷爷那么一大把

漂亮的胡子。"不过，谁也没想去贴胡子。

可是，山羊爷爷的儿子对山羊爷爷说："老爸，你的胡子是很漂亮，我的胡子也很好看。可是，我的儿子小山羊天天哭。他说，他的小朋友们都在笑话他。大家都问他，你这么小，怎么就长了胡子呢？我不知道怎么说，他才不会哭，才能高兴起来？"

山羊爷爷想了又想："是呀，他这么小怎么也会长胡子呢？"想来想去，山羊爷爷还是没有想明白。

汉字教学法

用形象、比喻、诱导、启发式教授汉字

圆：可引用词语——圆球，圆圆的，圆圈，圆形，圆满

圈：可引用词语——圆圈，圈子，圈套

亲：可引用词语——亲人，父亲，母亲，亲生，亲口，亲手，亲眼，亲爱，亲戚，亲友，亲你，亲热

脸：可引用词语——脸上，脸蛋，红脸，黑脸，脸面，脸色，脸皮，不要脸

眼：可引用词语——眼睛，眼球，眼白，眼皮，眼睫毛，眼角，眼圈，眼眉，眼看，眼泪，眼镜，眼光，花眼，眼巴巴

睛：可引用词语——眼睛，定睛

接：可引用词语——接到，接住，接着，接受，接见，接生，接班人，接龙，接力

外：可引用词语——外头，门外，外面，外边，里外，外公，外婆，外衣，外出，外地，外国

提高专注力汉字教学法

圆：❶ 西瓜和足球都很圆。

❷ 中秋是团圆的节日。

亲：❶ 我爱我的父亲母亲。

❷ 爷爷亲自下厨做菜。

眼：❶ 爷爷奶奶都戴眼镜。

❷ 妈妈爸爸是近视眼。

接：❶ 奶奶去幼儿园接我。

❷ 妈妈单位搞接力赛。

圈：❶ 兰姐姐会玩呼啦圈。

❷ 大家坐成一个圆圈。

脸：❶ 小黄狗自己会洗脸。

❷ 张姨的脸色很难看。

睛：❶ 妹妹有很大的眼睛。

❷ 我要做到目不转睛。

外：❶ 外婆是妈妈的妈妈。

❷ 表哥到国外去读书。

 参见第二十一课"词语教学法"。

先念熟故事，再回答下面的问题

 爸爸、妈妈按课文内容问宝宝的问题

❶ 山羊爷爷为什么很得意？

❷ 狮子、老虎、老狼有没有胡子？

❸ 小山羊为什么天天哭？

❹ 你知道小山羊为什么这么小就有胡子吗？

 拓展宝宝思维宽度和深度的问题

（要按照孩子的年龄和心理认知能力，酌情提问）

❶ 宝宝有胡子吗？如果你是男孩子，你长大了会有胡子吗？

❷ 奶奶、妈妈和女孩子长大了会长胡子吗？

❸ 山羊妈妈和山羊妹妹长胡子吗？

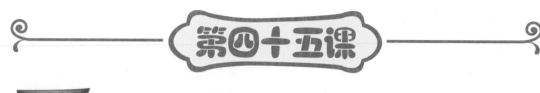

宝宝学生字

笨　以　自

己　慢　难

练　每

宝宝读词语

圆圈	圆圆的	圆球
圈子	亲人	亲生
亲口	亲手	亲眼
亲爱	亲友	亲你
脸上	红脸	黑脸
脸面	不要脸	眼睛
定睛	眼球	眼白

眼毛　　眼角　　眼圈

眼眉　　眼看　　眼光

花眼　　眼巴巴　　接到

接住　　接着　　接见

接生　　接班人　　外头

门外　　外面　　外边

里外　　外公　　外婆

外出　　外地

宝宝读故事

画 妈 妈

妈妈才出去了一会儿，小花就想妈妈了。

"我数一、二、三，妈妈就回来了。"小花伸出三个手指头。

"一——"，小花数了个长长的"一"，听一听，没有妈妈走路的声音。

"二——"，小花数了个更长的"二"，听一听，没有妈妈叫门的声音。

"三——"，小花数了个更长更长的"三"，她走到门口，用耳朵贴着门听，还是没有声音。

妈妈没有回来，小花真想妈妈啊！

"我来画个妈妈吧，等我画好了，妈妈就回来了。"小花拿出了纸和笔，先画了个很大的圆圈，小花亲了它一下："这是妈妈的脸。"

小花又在很大的圆圈里画上两个不大不小的圆圈，小花又亲了它们："这是妈妈的眼睛。"

接着，小花在不大不小的圆圈下面，画上一个小小的圆圈，小花亲了它一下："这是妈妈的嘴巴。"

正在这时，妈妈在门外喊小花了。

妈妈回来啦，妈妈真的回来啦！

"妈妈，妈妈，我数一、二、三，你不回来。我亲亲你的脸，你就回来啦！"

用形象、比喻、诱导、启发式教授汉字

笨：可引用词语——很笨，笨蛋，笨孩子，笨手笨脚，笨鸟先飞，笨重

以：可引用词语——可以，以前，以后，以上，以下，以内，以外，以为，所以

自：可引用词语——自己，自来水，自行车，大自然，自动，自从，自学，自由

己：可引用词语——自己

慢：可引用词语——快慢，慢慢，慢走，慢跑，慢些，慢点，太慢了，慢手慢脚

难：可引用词语——难看，难听，难说，难受，难过，很难，难事，难做，难题，难关，难得

练：可引用词语——练习，训练，锻炼，练功，熟练

每：可引用词语——每个，每人，每天，每月，每年

 提高专注力汉字教学法

笨：① 笨小鸟先学会了飞。
　　② 努力学习的人不笨。

自：① 李爷爷来自俄罗斯。
　　② 自己的事情自己做。

慢：① 我慢慢学会了走路。
　　② 奶奶说姑姑做事慢。

练：① 姐姐要做很多练习。
　　② 我们每天早晨练跑。

以：① 你可以不去幼儿园。
　　② 他以为自己很能干。

己：① 要学会自己做事情。
　　② 己所不欲勿施于人。

难：① 我家小狗病得难受。
　　② 世界上没有困难事。

每：① 每天早晨要喝牛奶。
　　② 每个人都是小朋友。

 参见第二十一课"词语教学法"。

先念熟故事，再回答下面的问题

 爸爸、妈妈按课文内容问宝宝的问题

① 小花数完"一、二、三"后，妈妈回来了没有？

② 小花想了个什么办法希望妈妈快些回来？

③ 小花是怎样画妈妈的？

④ 妈妈是什么时候回来的？

拓展宝宝思维宽度和深度的问题

（要按照孩子的年龄和心理认知能力，酌情提问）

① 宝宝会画妈妈和爸爸吗？试着画一张爸爸、妈妈和宝宝在一起的画。

② 宝宝能够一个人待在家里吗？能干的宝宝不妨试着自己在家里待着。

 宝宝读字 宝宝数字 -

数	教	救	救	数	睛	清	请	清	请
教	数	教	数	救	清	睛	睛	请	清
救	教	数	救	教	请	清	睛	圆
教	数	救	数	教	圈	园	圆	圆	圈
数	救	救	教	数	园	圈	园	圈	园
请	清	睛	请	救	圆	园	圈	圆	圆
睛	请	清	清	睛	圆	圈	圆	圈	园
清	睛	请	睛	园	圈	园	圆	园	圈

 提高专注力汉字教学法 参见第二十三课的教学法。

本课包含"数，救，教，睛，清，请，园，圆，圈"。

第四十六课

宝宝学生字

颗	样	因
为	离	近
象	船	

很笨　笨人　笨孩子

可以　以前　以后

以上　以下　以为

所以　自来水　自动

自从　自学　自己

快慢　慢慢　慢走

慢跑　慢点　太慢了

难看　难听　难说

难过　很难　难事

难做　难关　难得

练习　熟练　每个

每人　每天　每月

每年

笨鸟先飞

鸟妈妈有好多个孩子。孩子们都很聪明，只有最小的鸟弟弟很笨。大家都叫它"小笨笨"。

鸟妈妈和哥哥、姐姐们都对小笨笨很好，什么事都帮着它做。

可是，笨笨什么事都想自己去做。

"你们不要帮我。你们总是帮我，我就什么事也不会做了。只有自己学，才能学会。"

鸟妈妈想："对呀！到了学飞时，大家再帮它，也不能帮它飞，它总得自己飞呀。"

从那以后，很多事，鸟妈妈不再帮

笨笨做，也不叫哥哥、姐姐帮它做。慢慢地，笨笨自己学会了做很多事。

要学飞了。飞是很难学的。飞不好，会从天上摔下来，很痛很痛。

"笨笨能学会吗？"鸟妈妈心里很着急。

"妈妈放心，我会多多地练习飞。我不怕摔，也不怕痛。我一定能学会

的。请妈妈放心！"笨笨说。

从那以后，每天早上，笨笨都是最早一个起来。哥哥、姐姐还在睡觉、做梦时，妈妈就带着它一起练飞了。

天天练，天天练，不知摔下来多少回，笨笨没有哭，没有喊，它很勇敢。鸟妈妈心里很高兴："笨笨一定能学会，还能飞得很好。"

真的，到了鸟妈妈叫大家一起飞的那天，小笨笨飞得最快，飞得最好，飞得最漂亮。

笨笨笑了，妈妈笑了，哥哥、姐姐也笑了。

汉字教学法

 用形象、比喻、诱导、启发式教授汉字

颗：可引用词语——一颗，颗粒

样：可引用词语——一样，同样，样子，怎么样，模样，样品，图样，榜样

因：可引用词语——因为，原因，因此，因而，因果

为：可引用词语——因为，成为，作为，变为（二声），为什么，为了（四声）

离：可引用词语——离开，离别，离去，分离，离婚，离奇，距离

近：可引用词语——远近，很近，近日，近来，接近，靠近，亲近

象：可引用词语——大象，象牙，象棋，象样，气象，景象，印象

船：可引用词语——小船，大船，帆船，鱼船，轮船，飞船，太空船，船头，船尾，船帆，船桨

提高专注力汉字教学法

家长说两句包含同一个汉字的不同句子让孩子听，并要求孩子说出这个汉字。例：

颗：❶ 我共有20颗牙齿。

样：❶ 小明是我们的榜样。

② 天上闪着无数颗星。　　　② 妈妈把样品带回家。

因：① 因为长大就能干了。　　为：① 为了长高要多吃饭。

　　② 不讲卫生就是病因。　　　② 我们为大家服务。

离：① 他出差要离开十天。　　近：① 爸爸戴着近视眼镜。

　　② 哥哥离别时哭起来。　　　② 小明家离我家很近。

象：① 大象是人们的朋友。　　船：① 一艘万吨级大轮船。

　　② 象牙可制作工艺品。　　　② 宇宙飞船进入太空。

 参见第二十一课"词语教学法"。

先念熟故事，再回答下面的问题

 爸爸、妈妈按课文内容问宝宝的问题

① 笨笨为什么不要哥哥、姐姐帮助自己？

② 飞难不难学，飞不好会怎样？

③ 笨笨是怎么学会飞的？

④ 笨笨摔下来的时候，表现怎样？

⑤ 大家一起飞的那一天，笨笨飞得怎么样？

拓展宝宝思维宽度和深度的问题

（要按照孩子的年龄和心理认知能力，酌情提问）

① 宝宝是不是希望自己像爸爸、妈妈那样，什么事情都会做？

② 如果小朋友所有的事情都让妈妈帮着做的话，想一想，这个孩子长大了
会成为一个什么样的人？

第四十七课

 宝宝学生字

闪	金	美
丽	当	扇
满	干	

宝宝读词语

一颗　一样　同样

样子　怎么样　因为

原因　因果　成为

作为　变为(二声)

为什么　为了(四声)

离开　离去　分离

很近　近日　近来

接近　亲近　大象

象牙　气象　景象

象棋　印象　小船

大船　船桨　飞船

太空船　船头　船尾

宝宝读故事

数 星 星

夏天的晚上，毛毛和爸爸坐在门外草地上，抬头看天上的星星。

"数数看，看能数出多少颗星星。"毛毛心里想。

"一、二、三、四、五……"一下子就数错了。"再从头数吧！"

"一、二、三、四、五、六……"又数错了。

天上怎么有这么多星星，数来数去也数不清。

"爸爸，请你告诉我星星的事，好吗？"

"好的。我们住的地球，还有土星、木星、水星、太阳、月亮啊，都是星球……"

"太阳、月亮又不是星球！"

"它们同样是星球。只是因为离我们太近，看起来就不像天上的星星那样小。"

"那些星球上有人住吗？"

"可能还没有。"

"我想上去住。"

"是啊！我们地球上住的人太多了，快要住不下了。不过，哪颗星球上可以住人，我们还不知道。"

"等我长大了，我会坐着飞船到天上去。看看哪颗星球可以住人。等我找到了，我会回来接你和妈妈一起

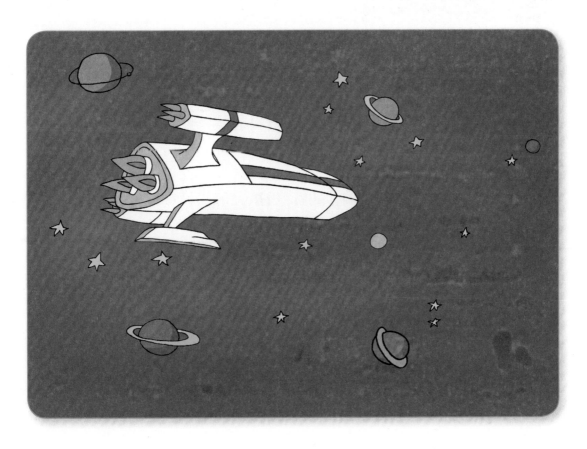

去住。"

"好啊，好啊！我和妈妈会等着你来接我们。不过，学习不好的孩子是去不了的。"

"爸爸放心，为了找到这颗星球，我也会好好学习的。"

汉字教学法

用形象、比喻、诱导、启发式教授汉字

闪：可引用词语——闪电，闪亮，闪光，闪光灯，闪开，闪耀

金：可引用词语——金鱼，金星，金子，黄金，金光，金钱，金字塔

美：可引用词语——美好，美丽，美貌，美味，美妙，美术字，美术

丽：可引用词语——美丽

当：可引用词语——当中，当面，当心，当着，当然，应当

扇：可引用词语——扇子，扇面，电扇，一扇门

满：可引用词语——满天，满地，满心，满月，满足，水满了，很满，满意

干：可引用词语——干什么，干部（四声），干巴巴，干杯，干草，干净，干燥（一声）

 提高专注力汉字教学法

家长说两句包含同一个汉字的不同句子让孩子听，并要求孩子说出这个汉字。例：

闪：❶ 闪电后就听到雷声。
　　❷ 星星在天空闪眼睛。

金：❶ 金子总有它的价值。
　　❷ 太阳闪着耀眼金光。

美：❶ 我想美美地吃一餐。
　　❷ 今天我们玩得很美。

丽：❶ 丽水是一条淡水河。
　　❷ 小丽姐姐功课很好。

当：❶ 他当然会唱得很好。
　　❷ 妈妈当节目主持人。

扇：❶ 夏天每天都扇扇子。
　　❷ 折扇的扇面画着花。

满：❶ 下雨时满地都是水。
　　❷ 爷爷很满意地笑了。

干：❶ 太阳出来地就干了。
　　❷ 小弟弟很爱吃饼干。

 参见第二十一课"词语教学法"。

先念熟故事，再回答下面的问题

 爸爸、妈妈按课文内容问宝宝的问题

❶ 毛毛数星星，数错了几次？

❷ 太阳和月亮是不是星球？

❸ 除了太阳和月亮，天上还有哪些星球？

❹ 毛毛为什么要去找可以住人的星球？

❺ 为了找到能住人的星球，你们现在应该怎么做？

 拓展宝宝思维宽度和深度的问题

（要按照孩子的年龄和心理认知能力，酌情提问）

❶ 有的时候，晚上看不见星星，是不是天上没有星星？

❷ 想一想，什么情况下看不见星星？

❸ 如果你能够坐着飞船到太空中去，你看到的星星会有多大？

 宝宝学生字

朝　　熊　　娃

汽　　车　　北

京　　往　　鸣

宝宝读词语

闪电　闪亮　闪光　闪动

闪开　金鱼　金星　金子

黄金　金光　美好　美丽

当中　当面　当心　当着

扇子　扇面　电扇　一扇门

满天　满地　满心　满月

满了　很满　干什么　干巴巴

真能干(四声)　干草(一声)

宝宝读短文

1 我爱画蓝蓝的天，白白的云，红红的太阳闪金光。

我爱画绿绿的青草，美丽的花朵，小鸟在树上歌唱。

我爱画可爱的小白兔，聪明的小猴子，长着胡子的山羊。

我还爱画我的爷爷、奶奶、爸爸、妈妈和好朋友方方。

我长大了要把画家当。

2 下雪了，大地一片雪白。

会画梅花的小狗在雪地上跑，会画竹叶的小鸡在雪地上跑，会画扇子的小鸭在雪地上跑，会画月牙的小马也在雪地上跑。

跑呀跑，画呀画，一边跑，一边画。雪地上画满了梅花、竹叶、扇子和月牙。

大家笑着说："哈哈哈，哈哈哈，我们都是小画家。不用笔，不用纸，画得满地都是画。"

3 面向着北方，背朝着南方。右手指着东，左手指着西。

面向着南方，背朝着北方。右手指着西，左手指着东。

面向着东方，背朝着西方。右手指着南，左手指着北。

面向着西方，背朝着东方。右手指着北，左手指着南。

汉字教学法 ·

 用形象、比喻、诱导、启发式教授汉字：

　　朝：可引用词语——朝着，朝向

熊：可引用词语——熊猫，狗熊，白熊，黑熊，北极熊

娃：可引用词语——娃娃，娃娃鱼

汽：可引用词语——汽水，汽车，汽船，汽艇，汽油

车：可引用词语——汽车，火车，电车，马车，水车，开车，车子，车厢，车门，车轮，车站

北：可引用词语——北京，东北，西北，北边，北方，北斗星，北极，北极熊

京：可引用词语——北京，南京，京城，京戏

往：可引用词语——开往，来往，往往，往年，往日，往事，往常，往后

鸣：可引用词语——鸣鸣叫

 提高专注力汉字教学法

朝：❶ 蛾子朝着光亮处飞。
　　❷ 清朝有三百年历史。

娃：❶ 我有个漂亮的娃娃。
　　❷ 小朋友也叫小娃娃。

车：❶ 北京的火车进站了。
　　❷ 爸爸开车开得很快。

京：❶ 中国的首都是北京。
　　❷ 南京定为江苏省会。

鸣：❶ 火车鸣鸣地开过来。
　　❷ 小妹又鸣鸣鸣哭了。

熊：❶ 大白熊生活在北极。
　　❷ 小熊猫最爱吃竹子。

汽：❶ 夏天喝汽水很好受。
　　❷ 汽车用汽油做燃料。

北：❶ 北方的冬天下大雪。
　　❷ 北海在广西省南部。

往：❶ 来来往往车辆很多。
　　❷ 以往的天空蓝蓝的。

 词语教学法 •••••••••••••••••••••••••••••••••••••

理解词语：

❶ 先念会30个词语。

❷ 和孩子讨论每个词语的意思，先鼓励孩子用自己的话讲解出来（或者用造句的形式也可以，只要证明孩子已经懂得意思即可），之后家长加以补充和纠正。这种做法可以训练孩子的理解力和语言表达能力。

③家长说词语，让孩子用汉字卡片摆出这个词语。

  故事教学法 ••••••••••••••••••••••••••••••••••••••

先念熟故事，再回答下面的问题

爸爸、妈妈按课文内容问宝宝的问题

① 我爱画天上的什么？

② 我爱画地上的什么？

③ 我爱画哪些小动物？

④ 我爱画哪些人？

⑤ 我长大了要当什么？

⑥ 雪地上画满了什么？

⑦ 是谁（哪个）用什么画的梅花？

⑧ 是谁（哪个）用什么画的月牙？

⑨ 是谁（哪个）用什么画的扇子？

⑩ 是谁（哪个）用什么画的竹叶？

⑪ 面向南方，背朝哪个方向？右边是哪个方向？左边是哪个方向？

⑫ 面向北方，背朝哪个方向？右边是哪个方向？左边是哪个方向？

⑬ 南方对着哪个方向？东方对着哪个方向？

 拓展宝宝思维宽度和深度的问题

（要按照孩子的年龄和心理认知能力，酌情提问）

① 宝宝会用自己的小手画出梅花、月牙、扇子和竹叶吗？试试看，好吗？

② 宝宝用自己的脚沾上颜料，试着在纸上印一下，看是什么形状。

③ 让妈妈给你画一个东南西北的方向图，看看东南西北四个方向是什么关系？

④ 宝宝知道早晨的太阳是从什么方向升起来的，晚上又是从什么方向落下去的吗？

⑤ 宝宝睡觉时，如果头朝着北方，那么你的脚朝着哪里？

 宝宝读字 宝宝数字

颗	住	金	往	颗	今	近	金	往	颗
金	颗	往	今	进	近	今	住	颗	往
今	往	颗	进	近	颗	往	颗	住	金
往	金	进	颗	今	进	颗	往	金	住
顶	进	住	近	顶	金	进	金	往	顶
进	顶	近	住	今	近	金	进	顶	今
住	近	顶	金	住	顶	近	顶	进	今
近	住	金	顶	往	住	顶	近	今	进

提高专注力汉字教学法

❶ 视觉集中训练：训练方法同于第二十三课。本课包含"颗，住，金，往，顶，进，今，近"。

❷ 听觉集中训练：训练方法同于第二十三课。

第四十九课

宝宝学生字

鹿　森　林

采　蘑　菇

篮　直

宝宝读词语

朝着　朝向　熊猫

狗熊　白熊　黑熊

娃娃　娃娃鱼　汽水

汽车　汽船　汽油

火车　电车　马车

水车　开车　车子

车门　北京　东北

西北　北边　北方

南京　京戏　开往

来往　往往　往年

往日　往事　往后

往哪里　呜呜叫

开火车

今天上午，爸爸开会去了，妈妈上班去了，就只有我一个人在家里。

"干什么好呢？"想来想去，还是看书吧。

书里的小熊猫和我一样，也是一个人在家里自己玩，它很乖。

"我也能像小熊猫一样，自己好好地玩。"我想，"可是，玩什么游戏呢？"

正在这时候，布娃娃开着汽车过来了，汽车上还坐着小狗熊和牛伯伯。

"快快上我的汽车，不然，我开走了，你只能坐后面的火车了。"布娃娃说。

　　我一看，原来汽车的后面还有小猴子开的火车，上面坐满了我的朋友。有小花猫、小白兔、小黄狗、小老虎、小狮子、小羊、小鸡、小鸭，还有小白鹅。大家都快乐地唱着歌，都喊我和它们一起坐火车。

　　"好吧，我们一起坐火车吧！"

　　"火车，火车，往哪儿开？"

　　"往北京开。呜——，到啦！北京到啦！"

　　"火车，火车，往哪儿开？"

　　"往南京开。呜——，到啦！南京到啦！"

　　正玩得高兴时，妈妈和爸爸回来

了："你这么高兴在干什么呢？"

"我和小朋友们一起玩'开火车'的游戏呢！到了北京，又到了南京。太好玩啦！"

看到我这样能干，爸爸和妈妈都高兴地说："你真是长大了，能自己一个人在家里玩了。"

汉字教学法

用形象、比喻、诱导、启发式教授汉字

鹿：可引用词语——梅花鹿，长颈鹿，鹿角

森：可引用词语——森林

林：可引用词语——树林，森林，林场

采：可引用词语——采用，采取，采茶

蘑：可引用词语——蘑菇

菇：可引用词语——蘑菇，冬菇，香菇

篮：可引用词语——花篮，竹篮，篮子，篮球

直：可引用词语——一直，直接，直到，直升飞机，直线

提高专注力汉字教学法

鹿：❶ 长颈鹿吃树叶和草。
　　❷ 梅花鹿的角很漂亮。

林：❶ 原始森林密不见天。
　　❷ 树林里有很多动物。

蘑：❶ 雨后长出很多蘑菇。
　　❷ 山西有菌类叫口蘑。

篮：❶ 竹子编的篮子结实。
　　❷ 爸爸哥哥爱打篮球。

森：❶ 森林大火烧了七天。
　　❷ 三个木字组成森字。

采：❶ 工人在井底下采煤。
　　❷ 蜜蜂天天都会采蜜。

菇：❶ 妈妈做冬菇极好吃。
　　❷ 人工培植的菇很多。

直：❶ 他这人直来直去的。
　　❷ 你要一直往前面走。

 词语教学法　参见第二十一课"词语教学法"。

 故事教学法 ••••••••••••••••••••••••••••••••••

先念熟故事，再回答下面的问题

 爸爸、妈妈按课文内容问宝宝的问题

❶ 开汽车的是谁（哪个）？汽车上坐着谁（哪个）？

❷ 开火车的是谁（哪个）？火车上坐着谁（哪个）？

❸ 火车开向哪个地方？

❹ 你能不能像小熊猫和书中的小朋友一样一个人在家里玩？

 拓展宝宝思维宽度和深度的问题

（要按照孩子的年龄和心理认知能力，酌情提问）

❶ 宝宝知道是摩托车开得快，还是汽车开得快？

❷ 宝宝知道是火车开得快，还是飞机开得快？

 宝宝学生字

摸　　苔　　所

科　　灯　　应

该　　题

宝宝读词语

梅花鹿　鹿角　森林

树林　采用　蘑菇

采蘑菇　吃蘑菇

冬菇　香菇　花篮

竹篮　篮子　篮球

一直　直到　直接

宝宝读故事

采蘑菇

一大早，小花鹿就去找小白兔玩，小白兔说："我今天要去森林里采蘑菇，家里没有蘑菇了。"

"那我们就一起去吧！"小花鹿和小白兔就一起出了门。

它们一边走，一边采蘑菇。采啊，

采啊，篮子满了，放不下蘑菇了。

"我们回家吧，天也快晚了，妈妈还在家里等着我们呢！"

小花鹿和小白兔就一起往回走。走啊，走啊，怎么走也走不出森林，天也黑了。小花鹿和小白兔这才明白它们在森林里迷了路。

怎么办？怎么办？天又黑，肚子又饿，心里又害怕。小花鹿急得马上就要哭出来了。

"不要哭，不要哭。我们来想想办法。"

想啊想……"有了。我们家住在森林的北边，我们就一直往北走，不是就走出森林，就找到家了吗？"小白兔说。

"可是哪边是北方呢？"小花鹿说。

"是啊，哪边是北方呢？"

想啊想……"对了。妈妈说过，在森林中找方向，可以用手去摸树干，长青苔的一面就是北

方。"小花鹿想起来了。

小白兔和小花鹿就去摸树干。找到啦，找到啦！北方找到啦！它们就手拉着手，大声唱着歌往北走。

"小白兔——，小花鹿——，"原来是妈妈们找来了。

当小白兔和小花鹿把怎样想出这个办法告诉妈妈时，妈妈都说小白兔和小花鹿是又聪明，又勇敢，又能干的孩子。

 汉字教学法 ···

💡 用形象、比喻、诱导、启发式教授汉字

摸：可引用词语——摸了，摸出，摸鱼

苔：可引用词语——青苔，舌苔

所：可引用词语——住所，所以，所有，两所，科研所

科：可引用词语——科学，科学家，科技，小儿科，外科

灯：可引用词语——开灯，关灯，红灯，绿灯，黄灯，日光灯，灯光，灯火，灯泡，灯丝，灯笼，节能灯

应：可引用词语——应当，应该，应有

该：可引用词语——应该，不应该，应有，该死

题：可引用词语——出题，问题，题目，题字，题名

 提高专注力汉字教学法

摸：① 摸摸你的头发烧吗？
② 摸底考试进行两天。

所：① 爸爸在研究所工作。
② 所以苹果会卖得贵。

灯：① 日光灯很亮但费电。
② 买的灯泡就要坏了。

该：① 今天该妈妈去值班。
② 老师说这是应该的。

苔：① 石头上长满了苔藓。
② 拌苔菜吃起来很脆。

科：① 我长大了当科学家。
② 今年的理科很难考。

应：① 有种人很像应声虫。
② 爸爸痛快地答应了。

题：① 老师问的问题很难。
② 作文题是：我长大了。

 参见第二十一课"词语教学法"。

先念熟故事，再回答下面的问题

 爸爸、妈妈按课文内容问宝宝的问题

① 小白兔和小花鹿一起去哪里采蘑菇？
② 它们为什么害怕？
③ 小白兔的家住在森林的哪个方向？
④ 树干长青苔的一面是什么方向？
⑤ 他们怎么找到回家的方向的？

 拓展宝宝思维宽度和深度的问题

（要按照孩子的年龄和心理认知能力，酌情提问）

① 森林里哪个方向的风干燥一些？

② 为什么青苔会长在树干朝北的一面？

 宝宝读字 宝宝数字 ----------------------------------

直	真	具	听	所	蓝	蛙	篮	娃	听
娃	真	直	具	蓝	所	篮	娃	听	蛙
具	蓝	真	具	直	蛙	所	听	篮	娃
蓝	篮	具	直	真	篮	听	所	蛙	篮
篮	直	直	真	具	听	蓝	蛙	所	娃
真	蛙	具	直	真	蓝	娃	听	篮	所
娃	真	直	具	蛙	所	听	篮	所	蓝
具	直	真	娃	蓝	听	蛙	所	娃	蛙

 提高专注力汉字教学法

① 视觉集中训练：训练方法同于第二十三课。本课包含"真，具，直，听，所，蛙，娃，蓝，篮"。

② 听觉集中训练：训练方法同于第二十三课。

课后复习七

复习七宝宝读词语

摸到　摸出　摸鱼

摸一摸　青苔　住所

所以　所有　两所

科学　科学家　小儿科

外科　开灯　关灯

红灯　绿灯　黄灯

日光灯　灯光　灯火

灯泡　应当　应该

不应该　应有　出题

问题　题目　题字

题名

复习七宝宝读故事

为 什 么

为什么要吃饭？因为肚子饿，所以要吃饭。

为什么要开灯？因为天黑了，所以要开灯。

为什么公鸡要叫？因为天亮了，所以公鸡要叫。

为什么要下雪？因为冬天到了，所以要下雪。

为什么奶奶生气了？因为我不听话，所以奶奶生气了。

为什么你不去幼儿园？因为今天放假，所以不去幼儿园。

为什么燕子要往南方飞？因为天冷了，所以燕子要往南方飞。

为什么你这样爱笑？因为我觉得天天都很快乐，所以我爱笑。

为什么你今天这样高兴？因为今天是妈

妈的生日，所以我很高兴。

为什么爸爸、妈妈不上班？因为是星期天，所以爸爸、妈妈不上班。

为什么你要好好学习？因为我长大了要当科学家，所以我要好好学习。

为什么你什么事都要自己去做？因为不自己学着做事，就什么事都不会，所以什么事我都要自己学着做。

 复习七 词语教学法　参见第二十一课"词语教学法"。

 复习七 故事教学法 ·····································

先念熟故事，再回答下面的问题

 爸爸、妈妈按课文内容问宝宝的问题

❶ 为什么自己的事情要自己做？

❷ 请你用"因为……所以……"造句。

 拓展宝宝思维宽度和深度的问题

（要按照孩子的年龄和心理认知能力，酌情提问）

❶ 宝宝喜欢想问题吗？喜欢提问题吗？

❷ 聪明的孩子知道的事情特别多，宝宝知道他们是怎样知道的吗？